O Príncipe e a
TAÇA de VENENO

R. C. Sproul

ILUSTRADO POR JUSTIN GERARD

FIEL
Editora

S771p   Sproul, R. C. (Robert Charles), 1939-
         O príncipe e a taça de veneno / R. C. Sproul ; ilustração: Justin Gerard ; [tradução: Rebeca Correia]. – São José dos Campos, SP : Fiel, 2015.

         40 p. : il. col. ; 27 cm.
         Tradução de: The prince's poison cup.
         ISBN 9788581323145

         1. Ficção cristã. 2. Vida cristã - Ficção. 3. Parábolas. I. Título. II. Gerard, Justin, ilustrador.

                                                                    CDD: 813

Catalogação na publicação: Mariana C. de Melo – CRB07/6477

O príncipe e a taça de veneno

Traduzido do original em inglês
The prince's poison cup
Texto: © 2008 by R.C. Sproul
Ilustrações: © 2008 by Justin Gerard

■

Publicado originalmente em inglês por
Reformation Trust,
uma divisão de Ligonier Ministries
400 Technology Park, Lake Mary, FL 32746

Copyright © 2015 Editora Fiel
Primeira Edição em Português: 2015

Todas as citações bíblicas na seção "Para Pais" foram utilizadas da versão Almeida Revista e Atualizada

Todos os direitos em língua portuguesa reservados por Editora Fiel da Missão Evangélica Literária.
Proibida a reprodução deste livro por quaisquer meios, sem a permissão escrita dos editores, salvo em breves citações, com indicação da fonte.

■

Diretor: Tiago J. Santos Filho
Editor-chefe: Tiago J. Santos Filho
Editora: Renata do Espírito Santo
Coordenação Editorial: Gisele Lemes
Tradução: Rebeca Correia
Revisão: Renata do Espírito Santo
Ilustrações: Justin Gerard
Capa e Diagramação: Matt Mantooth
Adaptação para português: Rubner Durais
ISBN impresso: 978-85-8132-314-5
ISBN e-book: 978-85-8132-455-5

Caixa Postal 1601
CEP: 12230-971
São José dos Campos, SP
PABX: (12) 3919-9999
www.editorafiel.com.br

Para Ella Ruth Cobb,

nossa encantadora primeira bisneta

— R. C. SPROUL

"Não beberei, porventura,

o cálice que o Pai me deu?"

JOÃO 18:11B

**M UMA MANHÃ**, não muito tempo atrás, em uma casa aconchegante em uma pequena cidade, uma garotinha não estava se sentindo bem. Seu nome era Bela, mas todos em sua família a chamavam de Belinha.

Belinha sentia dores na barriga, então o médico lhe deu um remédio. O pai de Belinha colocou um pouco do remédio em uma colher. Mas, assim que viu o remédio, ela fez cara feia e disse: "Ah, papai, esse remédio parece nojento. Eu tenho mesmo que tomá-lo?".

Seu pai sorriu e lhe disse: "Sim, querida, você tem que tomar o remédio se quiser melhorar".

Então Belinha criou coragem e tomou o remédio, conforme o seu pai a havia orientado. Mas depois ela perguntou: "Papai, por que o remédio tem gosto tão ruim se é para nos fazer bem?".

"Bem" - disse seu pai - "essa é uma pergunta que você deveria fazer ao vovô. Ele sempre consegue responder às suas perguntas difíceis. Ele vem nos visitar hoje à tarde. Agora descanse um pouco para que você esteja melhor quando ele chegar".

Belinha tirou uma soneca e acordou na hora que o vovô chegou. Ele a abraçou e perguntou como ela estava se sentindo, e Belinha respondeu que estava melhor. Olhando para ele, Belinha disse: "Vovô, posso lhe fazer uma pergunta?".

Vovô fez que sim com a cabeça e respondeu: "Claro, minha querida".

"Vovô, por que o remédio tem gosto tão ruim se é para me deixar melhor?"

Vovô parecia pensativo. "Essa é uma ótima pergunta, Belinha" – disse ele. "Algumas coisas que parecem ser maravilhosas ou têm um gosto bom são muito ruins. Mas, às vezes, coisas que parecem terríveis são, na verdade, muito boas. Eu, inclusive, me lembro de uma história em que essas duas coisas estranhas eram verdade. Você gostaria de ouvi-la?"

"Ah, sim!" – disse Belinha. Ela adorava as histórias que vovô contava para explicar as coisas. Então vovô se sentou, e Belinha se aconchegou ao seu lado. Vovô começou dizendo:

ERA UMA VEZ um grande rei. Ele era chamado o Rei da Vida porque tinha o poder de criar qualquer coisa, até mesmo seres viventes como plantas, animais e pessoas. O rei criou um lindo parque repleto de árvores, rios, lagos e jardins. Todos os dias, o rei ia ao parque visitar seus súditos, as pessoas que ele havia criado. Eles andavam juntos pelo lindo parque e eram muito felizes.

No centro do parque, o rei colocou um fonte. Desta fonte jorrava uma linda água borbulhante que parecia fresca e gostosa. Mas o rei disse ao seu povo: "Vocês podem beber de todos os rios do parque, mas não devem beber da fonte. A água da fonte fará mal a vocês. Não bebam dela".

No começo, os súditos do rei gostavam tanto de passar tempo com ele que nem se aproximavam da fonte. Eles amavam o rei e queriam agradá-lo. Mas então começaram a ficar curiosos. Eles se perguntavam por que o rei não queria que eles bebessem da água da fonte, que parecia tão limpa e refrescante.

Um dia, um estranho que vestia uma longa capa escura apareceu no parque. As pessoas não sabiam, mas o estranho era o arqui-inimigo do rei. Ele disse ao povo que não havia nada de errado com a água da fonte. Ele falou que se a experimentassem, a água faria maravilhas por elas. Ela as faria tão importantes quanto o próprio rei.

Àquela altura, as pessoas já estavam muito curiosas sobre a água. Não parecia justo que o rei não as deixasse beber da água da fonte. Então elas decidiram experimentá-la. O estranho encheu uma taça com a água da fonte e a deu às pessoas, e elas beberam.

Mas algo terrível aconteceu quando elas beberam a água, seus corações viraram pedras. Depois disso, elas deixaram de sentir amor pelo rei. Elas não queriam mais estar com ele.

Elas deixaram de ir ao parque para encontrá-lo. Ao invés disso, mudaram-se para um deserto bem distante e construíram uma cidade onde pudessem morar. Deram-lhe o nome de Cidade do Homem.

O Rei da Vida ficou muito bravo, porque as pessoas lhe desobedece-ram. Ele sabia que, por causa da terrível violação de sua ordem, ele teria justificativa para destruir a Cidade do Homem. Mas o rei ainda amava o seu povo e ficou triste pela dor deles.

O rei era muito sábio e tinha o conhecimento de que as pessoas iriam beber da fonte, então ele já havia criado um plano para ajudá-las. Ele foi até o seu filho, que era o Príncipe do Reino, e lhe disse: "Eu quero que você me ajude a curar os nossos súditos".

Nesse momento da história, Belinha interrompeu o vovô e lhe per-guntou: "O que o rei queria que o príncipe fizesse?".

"Era uma tarefa terrível" – disse o vovô. "O rei deu ao príncipe uma taça de ouro e lhe disse para ir até a Cidade do Homem. Lá, na praça central da cidade, o príncipe encontraria outra fonte.
Mas essa fonte não tinha uma água que parecia ser doce; ela estava cheia de um veneno terrível. O veneno era composto pela ira do rei por causa da desobediência das pessoas. Uma gota do veneno era su-ficiente para matar um homem forte. Mas o rei disse ao príncipe que bebesse uma taça de ouro cheia do veneno da fonte. Ele disse que se o príncipe fizesse isso, os seus súditos seriam curados e poderiam voltar para o parque."

O príncipe amava o pai e seu povo, e mesmo que a missão parecesse muito difícil, ele estava decidido a cumpri-la. Então ele iniciou uma viagem rumo à Cidade do Homem. Muitos de seus amigos o acom-panharam.

No caminho para a cidade, o príncipe e seus amigos pararam em um lago. O príncipe olhou para aquela linda água, calma e azul. Mas enquanto ele olhava para a água, algo estranho aconteceu. Em sua mente, ele viu uma grande taça cheia de um líquido escuro e sombrio. Ele sabia que era a taça de veneno que o seu pai havia ordenado que bebesse.

O príncipe fechou os olhos e chacoalhou a cabeça para tirar a imagem daquela terrível taça de sua mente. Por um segundo, ele pensou em desistir, mas se lembrou da ordem do rei. Ele tinha que ir até a Cidade do Homem. Ele sabia que era lá que o veneno estava.

Quando o príncipe e seus amigos chegaram até a cidade, eles viram que aquele lugar era horrível. As ruas eram escuras e cheias de lama e lixo. Muitas casas estavam destruídas, e as pessoas eram antipáticas e desconfiadas. Alguém percebeu que o príncipe era o filho do Rei da Vida. Como elas não amavam mais o rei, começaram a tratar o príncipe muito mal. Elas o amaldiçoaram, cuspiram nele e zombaram dele. Algumas pessoas até mesmo o atingiram com pedras e bateram nele enquanto ele passava.

O príncipe tremeu de medo e começou a suar. Ele amava o pai, mas não podia deixar de imaginar se existia uma outra maneira de o povo ser curado. Ele ficou pensando se tinha mesmo que beber aquele veneno. Ele lembrou da taça de ouro que carregava e disse a si mesmo: "Eu queria não ter que beber desta taça."

Enquanto o príncipe lutava com seu medo, ele se lembrou das palavras de seu pai: "Você precisa beber da taça. É o único meio de curar o nosso povo." Mais do qualquer coisa, o príncipe queria agradar ao rei. Então, ali mesmo, ele decidiu que não voltaria atrás, mas beberia o veneno conforme o seu pai lhe havia pedido, independentemente da dor e do sofrimento que isso pudesse lhe causar.

Os amigos do príncipe também ficaram com muito medo e, conforme a multidão irada se juntava ao redor deles, um por um, todos eles fugiram. Em pouco tempo, o príncipe estava totalmente sozinho no meio daquelas pessoas iradas, mas ele continuou procurando pela fonte cheia de veneno.

Finalmente o príncipe chegou à praça principal. No centro da praça, estava a fonte. Próximo à fonte estava um homem vestindo uma capa escura. Era o arqui-inimigo do rei, aquele que havia convencido as pessoas a beberem da fonte que estava no parque.

O príncipe se aproximou da fonte. Sem dizer uma palavra, ele pegou a taça de ouro que seu pai lhe havia dado e a estendeu ao homem. Com um sorriso cruel, o homem encheu a taça do príncipe com a água da fonte e a entregou de volta ao príncipe. As pessoas iradas da cidade reuniram-se ao redor da fonte para ver o que aconteceria.

O príncipe olhou para o veneno que enchia a taça. Era escuro, sombrio e cheirava mal. Ele estava aterrorizado e com nojo daquilo. Ele sabia que o veneno o mataria. Mas ao olhar para os rostos irados do povo ao seu redor, ele se lembrou de que seus corações de pedra seriam curados se ele bebesse da taça.

Ele encostou os lábios na borda da taça e começou a beber. O veneno tinha um gosto amargo. Ele queria cuspi-lo, mas havia prometido ao pai que beberia tudo. O veneno queimava a sua garganta, mas ele continuou a engolir. Ele bebeu tudo até a última gota.

Quando já tinha bebido todo o veneno, o príncipe curvou a cabeça, fechou os olhos… e morreu. Ele caiu no chão, ao lado da fonte. Ao cair, o homem da capa escura riu de alegria, porque achou que havia matado o filho do rei, e todo o povo deu um grande grito de vitória.

Logo depois, outra pessoa chegou à praça. Era um homem que usava uma capa branca e brilhante, tão brilhante que ninguém podia olhar para ela. Conforme ele andava, o chão tremia. Quando ele se aproximou da fonte, o homem da capa escura parou de rir. Em desespero, ele tentou proteger os olhos da luminosidade que vinha da capa do homem, mas era impossível. Ele começou a fugir, e enquanto corria, ele gritava: "O Rei da Vida está aqui! Fujam se quiserem viver." Todas as pessoas fugiram, escondendo-se em becos e entradas ao redor da praça.

O rei parou ao lado do corpo do príncipe. Ajoelhando-se, ele tocou em seu filho. Quando fez isso, o príncipe abriu os olhos. Ele estava vivo novamente. O Rei da Vida havia trazido o príncipe de volta à vida.

Naquele momento, o líquido que jorrava da fonte mudou.
Não era mais um veneno escuro e sombrio. Agora era uma água linda, cristalina e doce. O veneno logo sumiu, e a água encheu a fonte. A água brilhava com a luz do sol e tilintava alegremente ao cair da fonte, seu doce e fresco perfume enchia a praça. A água parecia ter vida.

O príncipe se levantou e pegou a taça de ouro. Indo em direção à fonte, ergueu a taça e a encheu por completo com a água que caía da fonte. Ele então se voltou para as pessoas e ofereceu a taça a elas. "Se alguém tiver sede, venha a mim e beba" – disse ele, e o vento parecia carregar suas palavras pela praça até as pessoas que lhe assistiam da sombra.

Naquele momento, algo incrível aconteceu. Os corações das pessoas começaram a mudar, voltando a ser calorosos e gentis. Os corações de algumas pessoas permaneceram duros e frios, mas por toda a praça os corações de homens e mulheres, meninos e meninas, idosos e crianças, comerciantes ricos e trabalhadores pobres foram transformados.

Lentamente, e cheios de temor, aqueles com corações transformados começaram a se aproximar da fonte. Eles sempre se sentiram repelidos pelo horrível veneno, mas o príncipe e a água que ele oferecia pareciam tão magníficos, que eles não puderam se conter.

Finalmente, um garotinho se aproximou do príncipe e, timidamente, pegou a taça. Ele tomou um pequeno gole da água. As pessoas assistiam ansiosamente, mas nada de terrível aconteceu. Ao contrário, o garotinho simplesmente olhou para o rei e o príncipe, com amor e gratidão. Ele havia sido ensinado a odiá-los, mas agora aquele ódio não existia mais.

Vendo que nada de ruim havia acontecido ao garoto após beber da taça, muitas pessoas rapidamente seguiram o seu exemplo. Elas não queriam mais fugir e se esconder do rei. Ao invés disso, elas beberam da taça de ouro, e todos os que bebiam dela louvavam ao rei e ao príncipe por tê-los curado. Elas viram que o terrível veneno que o príncipe havia bebido era um remédio maravilhoso para elas. Apesar de ter um gosto horrível para o príncipe e de tê-lo matado, o veneno havia curado os corações de pedra do povo.

Depois disso, as pessoas voltaram a visitar alegremente o parque onde elas se regozijavam em andar com o Rei da Vida e com o príncipe que as havia restaurado de volta à vida.

Vovô se inclinou para Belinha e disse: "Belinha, eu quero que você se lembre de que ficamos doentes por causa do pecado. Por isso, o remédio que nos deixa melhor geralmente é feio e tem gosto ruim. Mas o príncipe teve que beber algo muito pior, para que o seu povo pudesse ser curado das consequências de sua desobediência. Sempre que você tomar um remédio amargo, eu quero que você se lembre da história do príncipe e a taça de veneno".

"Eu vou lembrar, vovô" – Belinha prometeu. "E sabe do que mais? Eu conheço outro príncipe que morreu pelo seu povo."

"É mesmo?" – vovô perguntou com um brilho nos olhos.

PARA PAIS

Esperamos que você e seu filho tenham gostado de ler *O Príncipe e a Taça de Veneno*. As perguntas e passagens bíblicas a seguir irão ajudá-lo a guiar o seu filho a um entendimento mais profundo das verdades bíblicas apresentadas neste livro. Alguns conceitos e perguntas podem ser um pouco avançados para crianças muito novas. Se esse for o caso, considere voltar à história à medida que o seu filho tiver mais entendimento das coisas de Deus.

QUEM É O VERDADEIRO REI DA VIDA?

"E disse: Produza a terra relva, ervas que dêem semente e árvores frutíferas que dêem fruto segundo a sua espécie, cuja semente esteja nele, sobre a terra. [. . .] Povoem-se as águas de enxames de seres viventes; e voem as aves sobre a terra, sob o firmamento dos céus. [. . .] Produza a terra seres viventes, conforme a sua espécie: animais domésticos, répteis e animais selváticos, segundo a sua espécie. [. . .] Também disse Deus: Façamos o homem à nossa imagem, conforme a nossa semelhança; tenha ele domínio sobre os peixes do mar, sobre as aves dos céus, sobre os animais domésticos, sobre toda a terra e sobre todos os répteis que rastejam pela terra. Criou Deus, pois, o homem à sua imagem." (Gênesis 1:11-27a)

E o testemunho é este: que Deus nos deu a vida eterna; e esta vida está no seu Filho. (1 João 5:11)

NA HISTÓRIA, O REI DA VIDA ANDAVA COM O SEU POVO EM UM LINDO PARQUE. ONDE DEUS ANDAVA COM AS PESSOAS QUE ELE CRIARA?

"E plantou o SENHOR Deus um jardim no Éden, na direção do Oriente, e pôs nele o homem que havia formado." (Gênesis 2:8)

"Quando ouviram a voz do SENHOR Deus, que andava no jardim pela viração do dia." (Gênesis 3:8a)

O REI DA VIDA DISSE AO POVO QUE NÃO BEBESSE DA FONTE DO PARQUE. O QUE DEUS DISSE PARA AS PESSOAS NÃO FAZEREM?

"E o SENHOR Deus lhe deu esta ordem: De toda árvore do jardim comerás livremente, mas da árvore do conhecimento do bem e do mal não comerás; porque, no dia em que dela comeres, certamente morrerás." (Gênesis 2:16–17)

DEUS TEM UM ARQUI-INIMIGO, ALGUÉM COMO O HOMEM DA CAPA ESCURA?

"Mas a serpente, mais sagaz que todos os animais selváticos que o SENHOR Deus tinha feito." (Gênesis 3:1)

"E foi expulso o grande dragão, a antiga serpente, que se chama diabo e Satanás, o sedutor de todo o mundo, sim, foi atirado para a terra, e, com ele, os seus anjos." (Apocalipse 12:9)

O HOMEM DA CAPA ESCURA MENTIU PARA AS PESSOAS NO PARQUE. QUE MENTIRA SATANÁS CONTOU ÀS PESSOAS QUE DEUS HAVIA CRIADO?

"Então, a serpente disse à mulher: É certo que não morrereis. Porque Deus sabe que no dia em que dele comerdes se vos abrirão os olhos e, como Deus, sereis conhecedores do bem e do mal." (Gênesis 3:4–5)

NA HISTÓRIA, QUANDO AS PESSOAS BEBERAM DA FONTE, SEUS CORAÇÕES VIRARAM PEDRAS. O QUE ACONTECEU COM AS PESSOAS QUE ACREDITARAM NA MENTIRA DE SATANÁS?

"Vendo a mulher que a árvore era boa para se comer, agradável aos olhos e árvore desejável para dar entendimento, tomou-lhe do fruto e comeu e deu também ao marido, e ele comeu. Abriram-se, então, os olhos de ambos; e, percebendo que estavam nus, coseram folhas de figueira e fizeram cintas para si. Quando ouviram a voz do SENHOR Deus, que andava no jardim pela viração do dia, esconderam-se da presença do SENHOR Deus, o homem e sua mulher, por entre as árvores do jardim." (Gênesis 3:6–8)

"Portanto, assim como por um só homem entrou o pecado no mundo, e pelo pecado, a morte, assim também a morte passou a todos os homens, porque todos pecaram." (Romanos 5:12)

DE QUE FORMA O MUNDO REAL SE PARECE COM A CIDADE DO HOMEM?

"O julgamento é este: que a luz veio ao mundo, e os homens amaram mais as trevas do que a luz; porque as suas obras eram más." (João 3:19)

"No mundo, passais por aflições." (João 16:33b)

"Pois a criação está sujeita à vaidade, não voluntariamente, mas por causa daquele que a sujeitou, na esperança de que a própria criação será redimida do cativeiro da corrupção, para a liberdade da glória dos filhos de Deus. Porque sabemos que toda a criação, a um só tempo, geme e suporta angústias até agora." (Romanos 8:20–22)

(CONT.)

NA HISTÓRIA, O REI DA VIDA TINHA UM FILHO QUE ERA O PRINCÍPE DA TERRA. QUEM É O FILHO DE DEUS?

"Estes, porém, foram registrados para que creiais que Jesus é o Cristo, o Filho de Deus, e para que, crendo, tenhais vida em seu nome." (João 20:31)

"Fiel é Deus, pelo qual fostes chamados à comunhão de seu Filho Jesus Cristo, nosso Senhor." (1 Coríntios 1:9)

O PRÍNCIPE FOI MALTRATADO QUANDO CHEGOU À CIDADE DO HOMEM. COMO AS PESSOAS TRATARAM JESUS QUANDO ELE VEIO AO MUNDO?

"Logo a seguir, os soldados do governador, levando Jesus para o pretório, reuniram em torno dele toda a coorte. Despojando-o das vestes, cobriram-no com um manto escarlate; tecendo uma coroa de espinhos, puseram-lha na cabeça e, na mão direita, um caniço; e, ajoelhando-se diante dele, o escarneciam, dizendo: Salve, rei dos judeus! E, cuspindo nele, tomaram o caniço e davam-lhe com ele na cabeça." (Mateus 27:27-30)

"Os que iam passando, blasfemavam dele, meneando a cabeça e dizendo: Ah! Tu que destróis o santuário e, em três dias, o reedificas! Salva-te a ti mesmo, descendo da cruz! De igual modo, os principais sacerdotes com os escribas, escarnecendo, entre si diziam: Salvou os outros, a si mesmo não pode salvar-se; desça agora da cruz o Cristo, o rei de Israel, para que vejamos e creiamos. Também os que com ele foram crucificados o insultavam." (Marcos 15:29-32)

"Sendo este entregue pelo determinado desígnio e presciência de Deus, vós o matastes, crucificando-o por mãos de iníquos." (Atos 2:23)

O VENENO QUE O PRÍNCIPE TEVE QUE BEBER ERA COMPOSTO DA "IRA DO REI POR CAUSA DA DESOBEDIÊNCIA DAS PESSOAS." DEUS FICA IRADO COM O PECADO?

"A ira de Deus se revela do céu contra toda impiedade e perversão dos homens que detêm a verdade pela injustiça." (Romanos 1:18)

JESUS DISSE QUE AO MORRER NA CRUZ, ELE BEBERIA O "CÁLICE" QUE O PAI LHE HAVIA DADO (JOÃO 18:11B). O QUE SIGNIFICA PARA O SEU POVO QUE JESUS TENHA BEBIDO O CÁLICE QUE ESTAVA CHEIO DA IRA DE DEUS PARA COM ELES?

"Por isso, quem crê no Filho tem a vida eterna; o que, todavia, se mantém rebelde contra o Filho não verá a vida, mas sobre ele permanece a ira de Deus." (João 3:36)

"Jesus, que nos livra da ira vindoura." (1 Tessalonissenses 1:10b)

QUANDO O PRÍNCIPE CONVIDOU AS PESSOAS PARA BEBEREM A ÁGUA VIVA EM SUA TAÇA, O VENTO CARREGOU SUAS PALAVRAS POR TODA A PRAÇA. O QUE AJUDA AS PESSOAS A OUVIREM E A ENTENDEREM AS PALAVRAS DE JESUS?

"Quando vier, porém, o Espírito da verdade, ele vos guiará a toda a verdade." (João 16:13a)

"De repente, veio do céu um som, como de um vento impetuoso, e encheu toda a casa onde estavam assentados [. . .] Todos ficaram cheios do Espírito Santo." (Atos 2:2-4a)

JESUS CONVIDA AS PESSOAS A "BEBEREM" ALGO?

"Replicou-lhe Jesus: Se conheceras o dom de Deus e quem é o que te pede: dá-me de beber, tu lhe pedirias, e ele te daria água viva." (João 4:10)

"No último dia, o grande dia da festa, levantou-se Jesus e exclamou: Se alguém tem sede, venha a mim e beba." (João 7:37)

O QUE SIGINIFICA BEBER DO CÁLICE QUE JESUS OFERECE?

"Respondeu-lhes Jesus: Em verdade, em verdade vos digo: se não comerdes a carne do Filho do Homem e não beberdes o seu sangue, não tendes vida em vós mesmos. Quem comer a minha carne e beber o meu sangue tem a vida eterna, e eu o ressuscitarei no último dia. Pois a minha carne é verdadeira comida, e o meu sangue é verdadeira bebida." (João 6:53–55)

"Quem crer em mim, como diz a Escritura, do seu interior fluirão rios de água viva." (João 7:38)

"Crê no Senhor Jesus e serás salvo." (Atos 16:31a)

O QUE ACONTECE QUANDO AS PESSOAS CONFIAM EM JESUS?

"Dar-vos-ei coração novo e porei dentro de vós espírito novo; tirarei de vós o coração de pedra e vos darei coração de carne." (Ezequiel 36:26)

"Quem nele crê não é julgado; o que não crê já está julgado, porquanto não crê no nome do unigênito Filho de Deus." (João 3:18)

"Em verdade, em verdade vos digo: quem ouve a minha palavra e crê naquele que me enviou tem a vida eterna, não entra em juízo, mas passou da morte para a vida." (João 5:24)

BELINHA DISSE QUE CONHECIA OUTRO PRÍNCIPE QUE MORREU POR SEU POVO. A QUEM ELA ESTAVA SE REFERINDO?

"Antes de tudo, vos entreguei o que também recebi: que Cristo morreu pelos nossos pecados, segundo as Escrituras." (1 Coríntios 15:3)

SOBRE O AUTOR

Dr. R. C. Sproul (1939-2017) foi ministro presbiteriano, fundador do ministério Ligonier, professor de teologia e autor de mais de sessenta livros, vários deles publicados em português. Durante os mais de quarenta anos de ministério no ensino acadêmico e na igreja, o Dr. Sproul se tornou conhecido por transmitir com clareza as verdades profundas e práticas da Palavra de Deus.

SOBRE O ILUSTRADOR

Justin Gerard passou a maior parte da infância desenhando personagens imaginários de revistas em quadrinhos, ficção científica e filmes da Disney. Ao desenvolver sua arte, Justin se inspirava em N. C. Wyeth, Carravaggio, Peter de Sève e Carter Goodrich. Justin possui bacharelado em Belas Artes e já ilustrou inúmeros livros infantis, como A Luz do Mundo, também de R. C. Sproul, e vários contos publicados em livros escolares. Ele vive em Greenville, Carolina do Sul, onde trabalha como diretor de criação na Portland Studios.